JE ME SENS UN PEU FAIBLE, PANORAMIX !...
NON, OBÉLIX !...TU N'AURAS PAS DE POTION MAGIQUE! JE T'AI DIT MILLE FOIS QUE TU ÉTAIS TOMBÉ DEDANS ÉTANT PETIT !

GOSCINNY ET UDERZO PRÉSENTENT
UNE AVENTURE D'ASTÉRIX

L'ODYSSÉE D'ASTÉRIX

TEXTE ET DESSINS DE UDERZO

LES ÉDITIONS ALBERT RENÉ
88, AVENUE CHARLES DE GAULLE 92200 NEUILLY-SUR-SEINE

Dépôt légal 4e trimestre 1981 N° 004-X-04
ISBN 2-86497-004-X
Imprimé en Espagne par Printer Industria Gráfica sa Provenza, 388 Barcelona
Dep. Legal B.: 18745-1981
Loi N° 49956 du 16 Juillet 1949 sur les publications destinées à la Jeunesse.

à René

BELGIQVE
VILLAGE GAVLOIS
PETIBONVM
LAVDANVM
AQVARIVM
BABAORVM
LVTECE
SPQR
ARMORIQVE
GAVLE
(CONQVETE ROMAINE)
50 avant J.C.
CELTIQVE
AQVITAINE
PROVINCE ROMAINE
Nous sommes en 50 avant Jésus-Christ. Toute la Gaule est occupée par les Romains... Toute ? Non ! Un village peuplé d'irréductibles Gaulois résiste encore et toujours à l'envahisseur. Et la vie n'est pas facile pour les garnisons de légionnaires romains des camps retranchés de Babaorum, Aquarium, Laudanum et Petitbonum...

Astérix, le héros de ces aventures. Petit guerrier à l'esprit malin, à l'intelligence vive, toutes les missions périlleuses lui sont confiées sans hésitation. Astérix tire sa force surhumaine de la potion magique du druide Panoramix...

Obélix est l'inséparable ami d'Astérix. Livreur de menhirs de son état grand amateur de sangliers et de belles bagarres. Obélix est prêt à tout abandonner pour suivre Astérix dans une nouvelle aventure. Il est accompagné par Idéfix, le seul chien écologiste connu, qui hurle de désespoir quand on abat un arbre.

Panoramix, le druide vénérable du village, cueille le gui et prépare des potions magiques. Sa plus grande réussite est la potion qui donne une force surhumaine au consommateur. Mais Panoramix a d'autres recettes en réserve...

Assurancetourix, c'est le barde. Les opinions sur son talent sont partagées : lui, il trouve qu'il est génial, tous les autres pensent qu'il est innommable. Mais quand il ne dit rien, c'est un gai compagnon, fort apprécié...

Abraracourcix, enfin, est le chef de la tribu. Majestueux, courageux, ombrageux, le vieux guerrier est respecté par ses hommes, craint par ses ennemis. Abraracourcix ne craint qu'une chose : c'est que le ciel lui tombe sur la tête, mais comme il le dit lui-même : «C'est pas demain la veille!»

DANS LE CALME DE LA PROFONDE FORÊT GAULOISE, TOUT SEMBLE INDIQUER QU'IL EST L'HEURE DE SE METTRE À TABLE ...
TACTACTAC! TACTACTAC!
SCRONTCH SCRONTCH

...MAIS CERTAINS DE SES HABITANTS ONT PERDU DE LEUR APPÉTIT.
GROÏN GROÏN GROÏÏÏÏÏN!
GRRR ONONON! GROÏN GROÏN!
MIAFF! MPAFF!

N. de L'A.: POUR UNE MEILLEURE COMPRÉHEN-SION DU DIALOGUE ET EN NOUS EXCUSANT AUPRÈS DES PURISTES, NOUS AVONS FAIT UNE VERSION DOUBLÉE.
ES-TU VRAIMENT CERTAIN QUE NOUS N'ALLONS PAS RENCONTRER UN DE CES FOUS DU VILLAGE VOISIN?
JE T'AI DIT QUE TU NE RISQUAIS RIEN AVEC MOI. POURQUOI AS-TU PEUR?
MIAFF! MPAFF!

PARCE QU'ILS ONT AVALÉ, CROQUÉ, BÂFRÉ, ENGLOUTI TOUS CEUX DE MA HARDE ET QUE JE SUIS L'UNIQUE SUR-VIVANT D'UNE FAMILLE NOMBREUSE, VOILÀ POURQUOI!!!

ALLONS, REPRENDS DU POIL DE L'HOMME! TU TE CONDUIS COMME UN JEUNE MARCASSIN QUI AURAIT ENCORE DES DENTS DE LAIE *
* FEMELLE DU SANGLIER

BLAGUE DANS LE GROIN! MON SYSTÈME EST INFAILLIBLE ET JE SUIS PRÊT À PARIER AVEC TOI QUE NOUS NE SERONS JAMAIS AU MENU DES GAULOIS!
ET SI TU PERDS TON PARI, QUI EST-CE QUI LE GAGNE?

LES FOUS!
LES DÉJEUNERS!

VITE ! SUIS-MOI ! ILS NE NOUS AURONT PAS, JE TE L'AVAIS PROMIS !
COCHON QUI S'EN DÉDIT !

SI JE M'EN SORS, JE JURE DE NE PLUS GROGNER ET DE NE PLUS MANGER SALEMENT !

AAAAAH ! JE SENS QUE MA DERNIÈRE HURE * EST PROCHE !
* TÊTE DE SANGLIER
TIENS BON ! NOUS TOUCHONS AU BUT !
SNIFF SNIFF

LES FOUS !
LES ROMAINS !

TU VOIS, IL SUFFIT D'AMENER LES GAULOIS DEVANT UNE PATROUILLE ROMAINE ET ON EST TRANQUILLE POUR UN MOMENT. C'EST HUMAIN, MAIS IL FALLAIT Y PENSER !
PAF !
TCHAC !
BING !
PFFUUU

AUSSI, UN PEU PLUS TARD, AU CAMP ROMAIN DE PETIBONUM ...
... ET EN PLUS, ILS ONT DRESSÉ DES SANGLIERS QUI LES MÈNENT DIRECTEMENT SUR NOS PATROUILLES !!!
IL FAUT PRÉVENIR CÉSAR, À ROME ! ÇA NE PEUT PLUS DURER !!!

ET À ROME...
NON!!! ÇA NE PEUT PLUS DURER!!!

CE VILLAGE D'ARMORIQUE CONTINUE À RIDICULISER LA PUISSANCE DE ROME !

DE PLUS, J'APPRENDS QUE MES LÉGIONS DOIVENT MAINTENANT FAIRE FACE À DES HORDES DE BÊTES SAUVAGES !

LE MORAL DE MES TROUPES EST AU PLUS BAS ET JE SUIS LA RISÉE DE MES ENNEMIS AU SÉNAT !
BIEN ENTENDU, L'ÉPREUVE DE FORCE, LA CORRUPTION, LE RAPT, TOUT A ÉCHOUÉ CONTRE CES IRRÉDUCTIBLES GAULOIS, ET CEPENDANT...
3A

CAÏUS SOUTIEN-MORDICUS ! TU ES LE CHEF DE MA POLICE SECRÈTE. SI TU AS UNE IDÉE, DONNE-LA, PAR JUPITER !
LES SECRETS DES DRUIDES SE TRANSMETTENT UNIQUEMENT DE BOUCHE DE DRUIDE À OREILLE DE DRUIDE, C'EST BIEN CONNU, CÉSAR !

ET ALORS ?
C'EST SIMPLE ! SEUL UN DRUIDE, À LA FOIS DRUIDE ET ESPION, PEUT RECEVOIR ET NOUS TRANSMETTRE LA RECETTE DE CETTE FAMEUSE POTION MAGIQUE QUI REND INVINCIBLE !

OR, PARMI MES AGENTS SECRETS, J'AI CE DRUIDE-ESPION, Ô CÉSAR !
QU'ATTENDS-TU POUR ME L'AMENER ?

IL EST ICI ET PRÈS DE TOI, CÉSAR !
?!?
MAINTENANT TU PEUX DESCENDRE DE TON SOCLE, ZÉROZÉROSIX !
3B

QUOI?!! ON M'ESPIONNE DANS MES APPAR-TEMENTS?!
C'ÉTAIT SEULEMENT UNE EXPÉRIENCE POUR TE MONTRER LE GÉNIE INVENTIF DE MON MEILLEUR AGENT SECRET, Ô CÉSAR.

ZÉROZÉROSIX A PASSÉ SIX FOIS ET SANS SUCCÈS LES EXAMENS POUR ÊTRE DRUIDE, D'OÙ SON NOM...

À SA SEPTIÈME TENTATIVE, LASSÉS, SES EXAMINATEURS LUI ONT ACCORDÉ LES DROITS DRUIDIQUES ET DEPUIS, PAR VENGEANCE ET GOÛT DU LUCRE, IL EST DEVE-NU LE DRUIDE-ESPION LE PLUS HABILE QUI SOIT!

PARFAIT! RAMENEZ-MOI LE SECRET DE CETTE MIRACULEUSE POTION ET JE VIRE LE TRIUMVIRAT, JE DEVIENS DICTATEUR DE TOUT L'EMPIRE ROMAIN ET JE FAIS VOTRE FORTUNE!
AVE CÉSAR, LUCRATORI TE SALUTANT!*
*SALUT CÉSAR, CEUX QUI VONT S'ENRICHIR TE SALUENT.

TU VAS PARTIR IMMÉDIATEMENT POUR LA GAULE ET JE TE CONFIE CECI...
?

C'EST UNE MOUCHE SAVANTE QUE J'AI DRESSÉE. EN CAS DE NÉ-CESSITÉ, TU POURRAS LUI CONFIER UN MESSAGE ÉCRIT SUR UN MICRO-PAPYRUS QU'ELLE M'APPORTERA EN TEMPS RECORD!*
*C'EST DEPUIS CETTE ÉPOQUE QUE LES ESPIONS SONT APPELÉS DES "MOUCHES"

DE PLUS, JE T'AI LAISSÉ DES INSTRUCTIONS SUR CE ROULEAU QUE TU NE LIRAS QU'APRÈS ÊTRE SORTI DES MURS DE ROME!
BZZZZ!

COMMENT VAS-TU FAIRE LE VOYAGE?
TOUT EST PRÉVU, REGARDE!
CLIC!

TCHROC!
CLONC!
CLIC!
CLAC!

CLANG!

LES SEULES CHOSES QUE JE N'AI PAS ENCORE RÉUSSI À PLIER DANS TOUT ÇA, CE SONT LES CHEVAUX!
BZZZZ

PLUS TARD:
HOOOLÀ !...
LE MOMENT EST VENU DE LIRE LES INSTRUCTIONS DE SOUTIENMORDICUS !
BZZZZZZZ

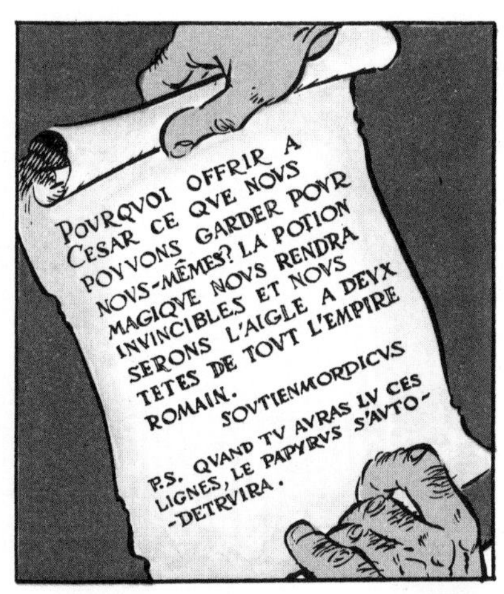
POVRQVOI OFFRIR A CESAR CE QVE NOVS POVVONS GARDER POVR NOVS-MÊMES? LA POTION MAGIQVE NOVS RENDRA INVINCIBLES ET NOVS SERONS L'AIGLE A DEVX TETES DE TOVT L'EMPIRE ROMAIN.
SOVTIENMORDICVS
P.S. QVAND TV AVRAS LV CES LIGNES, LE PAPYRVS S'AVTO-DETRVIRA.

?!
PSSCHCHch...

HÉ HÉ ! CÉSAR ET SOUTIEN-MORDICUS SONT DES NIAIS ! JE SERAI LE SEUL VAUTOUR DE TOUT L'EMPIRE GALLO-ROMAIN !
BZZZ
SMACK!

MAIS... VAS-TU ME LAISSER TRANQUILLE, ESPÈCE DE SALE BESTIOLE !
BZZZZZ

PENDANT CE TEMPS, SUR LA CÔTE ARMORICAINE, LA VIE S'ÉCOULE PAISIBLEMENT DANS LE PETIT VILLAGE GAULOIS D'ASTÉRIX ET DE SES COMPAGNONS.

C'EST BIZARRE, DEPUIS PEU, NOUS TOMBONS SOUVENT SUR UNE PATROUILLE DE ROMAINS QUAND NOUS CHASSONS LE SANGLIER !
-SCRONTCH !- ILS DEVRAIENT POURTANT SAVOIR QUE LE SANGLIER, C'EST SACRÉ POUR NOUS ! -SCRONTCH !

ET TOI, TU AS UNE SACRÉE FAÇON DE L'ADORER !
SCROTCH ! SCRITCH ! SCRONTCH !

BONJOUR PANORAMIX ! ÇA VA ?
HMMM ?! OUI, OUI, ÇA VA !

JE TROUVE QUE NOTRE DRUIDE A UNE ATTITUDE BIEN ÉTRANGE CE MATIN !
OUI ! IL N'A PAS GOÛTÉ AU SANGLIER !

SALUT DRUIDE ! JE VIENS DE METTRE UNE CERVOISE AU FRAIS ; TU TRINQUES AVEC MOI ?
NON ! PAS SOIF !

????? MAIS QU'EST-CE QUE JE LUI AI FAIT ?

POISSON
PANORAMIX, JE T'OFFRE CE POISSON TOUT FRAIS VENU D'UN ARRIVAGE DIRECT DE MASSILIA ! TU M'EN DIRAS DES NOUVELLES.

ALORS BOIRE, MANGER IL N'Y A QUE ÇA QUI COMPTE POUR VOUS !!
?

PEU APRÈS...
PANORAMIX N'EST PAS DANS SON ÉTAT NORMAL !
QUELQUE CHOSE DE GRAVE LE PRÉOCCUPE !
IL N'A MÊME PAS VOULU DE MON POISSON, C'EST TOUT DIRE !
ÇA, C'EST PLUTÔT NORMAL !
OUAH !

SI PANORAMIX A DES ENNUIS, NOUS DEVONS L'AIDER ! ASTÉRIX, TU VAS LE SUIVRE DISCRÈTEMENT ; TU DÉCOUVRIRAS PEUT-ÊTRE LES RAISONS DE SON ÉTRANGE COMPORTEMENT !

S'IL NE VIENT PAS, ALORS CE SERA TERRIBLE !...
7A

ÉPOUVANTABLE !...

ABOMINABLE !...

CATASTROPHIQUE !
VLAN!

...PUIS IL A AJOUTÉ "ÉPOUVANTABLE !" "ABOMINABLE !" "CATASTROPHIQUE !"
SI PANORAMIX A DE TELLES CRAINTES, C'EST QUE LE CIEL EST PRÊT À NOUS TOMBER SUR LA TÊTE !!!

EN ATTENDANT, C'EST LA NUIT QUI EST TOMBÉE SUR LE VILLAGE ET SES HABITANTS DONT CERTAINS VONT FAIRE DE MAUVAIS RÊVES.
7B

MAIS, AU MATIN ...
VENEZ VITE ! ÉPIDEMAÏS, LE MARCHAND PHÉNICIEN A DÉBARQUÉ SUR LA PLAGE !!!

IL EST LÀ ! ENFIN !!

BONJOUR ASTÉRIX !... BEAU TEMPS, N'EST-CE PAS ?!
?!

TU DOIS TOUJOURS ME FAIRE GOÛTER LA CERVOISE DE TON NOUVEAU TONNEAU, ABRARACOURCIX ! N'OUBLIE PAS !
?!

HMMM ! TES POISSONS ONT UN FUMET QUI ME MET EN APPÉTIT, ORDRALFABÉTIX !
?!?

C'ÉTAIT DONC ÉPIDEMAÏS ET SA MARCHANDISE QUE PANORAMIX ATTENDAIT !
OUI MÔSSIEU ! IL A APPRÉCIÉ LE FUMET DE MES POISSONS !
C'EST BIEN CE QUI M'INQUIÈTE ! QUAND ON EN EST LÀ, C'EST QU'ON A DES IDÉES SUICIDAIRES !

ALORS, ÉPIDEMAÏS, VIEUX BRIGAND ! TE VOILÀ ENFIN !
Ô PANO ! SALUT À TOUS ! JE ME LANGUISSAIS DE VOUS DEPUIS MON DERNIER VOYAGE ! VOYEZ CE QUE JE RAMÈNE DE TYR, SPÉCIALEMENT POUR VOUS !...

C'EST UNE HUILE QUI JAILLIT D'UN SOL RO--CHEUX, D'OÙ SON NOM, ET QUE L'ON TROUVE SURTOUT EN MÉSOPOTAMIE. ON L'APPELLE ÉGALEMENT NAPHTE.

DIS, ASTÉRIX ! QUELLE SALADE, POUR UN PEU D'HUILE !
OUI, ET DÉPÊCHONS-NOUS DE TROUVER UN GUÉRISSEUR AVANT QUE ÇA NE TOURNE AU VINAIGRE !
GRRR!

?
?!
BZZZZ
OUAH! OUAH!

IDÉFIX ! AU PIED, TOUT DE SUITE !
QUI ES-TU, D'OÙ VIENS-TU, QUE FAIS-TU ?
JE M'APPELLE ZÉROZÉROSIX, ET JE SUIS UN DRUIDE AM--BULANT. JE VIENS DE NULLE PART ET J'OFFRE MON SAVOIR ET MES SOINS À QUI EN A BESOIN !
GRRRRR

EST-CE QUE TU PEUX REMETTRE EN ÉTAT UN DRUIDE QUI A DÉRAPÉ SUR UNE ROCHE D'HUILE ?
?!? EUH ! C'EST UN ACCIDENT PEU FRÉQUENT, MAIS JE PENSE POUVOIR Y PARVENIR !
BZZZZ!
GRRRR!
10A

C'EST UNE CHANCE DE T'AVOIR RENCONTRÉ ! NOTRE DRUIDE PANO-RAMIX EST SOUFFRANT ET IL A BESOIN DE TES SOINS !
C'EST UNE CHANCE DE LES AVOIR RENCON-TRÉS ! EN PLUS LEUR DRUIDE A BESOIN DE MES SOINS !

HALTE !!! CONTRÔLE !
CHIC ! UN BARRAGE DE ROMAINS !!!
AÏE ! CES IMBÉ-CILES VONT TOUT GÂCHER !
NOUS N'AVONS PAS LE TEMPS DE NOUS AMUSER, OBÉLIX ! PANORAMIX NOUS ATTEND !

N'AYEZ PAS PEUR, JE VAIS ARRANGER ÇA !
?
CLANG!

PSSS ! PEUR, NOUS ? ÇA VA PAS, NON ?!
BZZZZ!
10B

POURSUIVONS-LES!

PEUR ? NON MAIS IL EST FOU CE DRUIDE !

PSCHHH!

BANG!
BING!
AÏE!
CLONG!
OUÏE!
MAMAN!

ENGAGEZ-VOUS DANS LA CAVALERIE LÉGÈRE, QU'Y DISAIENT !
OUAIS! ON S'EST MIS LE SABOT DANS L'OEIL !
SANS ÊTRE À CHEVAL SUR LES PRINCIPES, LÀ, Y A DE L'ABUS !
EN TOUT CAS, ÇA, C'EST LA MORT DU PETIT CHEVAL !

ALLEZ, NE MONTEZ PAS SUR VOS GRANDS CHEVAUX ! ILS NE POURRONT PAS ALLER BIEN LOIN, ILS VONT DROIT SUR LA FALAISE !

ON LES A DÉFINITIVEMENT SEMÉS !
LA FALAISE !! ATTENTION !

PEUR DE QUI ET DE QUOI, D'ABORD ?!

N'AYEZ AUCUNE CRAINTE ; TOUT A ÉTÉ PRÉVU !
IL M'ÉNERVE AVEC SES INSINUATIONS, CELUI-LÀ !
BZZZZZ!
CLIC!

?
BZZZ!
SPLATCH!

POURTANT EN APPUYANT SUR CE BOUTON, IL AURAIT DÛ SE PASSER QUELQUE CHOSE !!!
BZZZ

PEU APRÈS ...
ENFIN... IL Y A EU PLUS DE PEUR QUE DE MAL !
BZZZ

HO! ARRÊTE TON CHAR, HEIN !!!
?!
?

PAR MOMENT TON AMI ME FAIT UN PEU PEUR !
IL EST UN PEU SOUPE AU LAIT, MAIS C'EST UN BRAVE GARÇON !
BZZZ

PANORAMIX N'A TOUJOURS PAS RECOUVRÉ SES ESPRITS ! JE SUIS INQUIET !
J'AI CE QU'IL FAUT POUR LE REMETTRE SUR PIED !

BZZZZ!
GLOP! GLOP! GLOP!

HAARRG! THEUUU! THEUU!

HIC!

CH'EST BON, CHA ! QU'EST-CHE QUE -HIC!- CH'EST ?
C'EST UNE LIQUEUR DE GRAIN DISTILLÉE EN CALÉDONIE!*
BZZZZ!
* ÉCOSSE ANCIENNE

MAIS C'EST PEUT-ÊTRE UN PEU FORT ET JE PENSE QUE CE SERAIT MEILLEUR DILUÉ DANS DE L'EAU AVEC DES GLAÇONS !
BZZZ!

BOIRE UN PETIT COUP CH'EST UNE AUBAIIIIINE... HIP!

BOIRE UN PETIT COUP CH'EST DOUX... HIC!
TA REMISE SUR PIED LUI A FAIT PERDRE LA TÊTE! BRAVO !

MAIS IL NE FAUT PAS ROULER DECHOUS LE DOLMEN... HIC!

PEU APRÈS, PANORAMIX REPREND SES ESPRITS ET RETROUVE SES SOUCIS.
VOUS VOUS DEMANDEZ POURQUOI J'ATTACHE UNE SI GRANDE IMPORTANCE À CETTE HUILE DE ROCHE ?! EH BIEN VOILÀ : ...

SANS ELLE, SANS CETTE PETRA OLEUM,
IL N'Y A PLUS DE POTION MAGIQUE!
?

CAR CHACUN SAIT QUE JE SUIS TOMBÉ DANS LA MARMITE DE POTION MAGIQUE QUAND J'ÉTAIS PETIT ET QUE LES EFFETS SONT PERMANENTS CHEZ MOI GNAGNAGNA...

?!
?!
?!
?!

ÉPIDEMAÏS, PEUX-TU NOUS EMMENER LÀ OÙ L'ON TROUVE L'HUILE DE ROCHE ?
PAS AVANT D'AVOIR ÉCOULÉ TOUT MON STOCK DE MARCHANDISES, ASTÉRIX.

OBÉLIX ET MOI ON SE FAIT FORT DE VENDRE TOUTE TA MARCHANDISE PENDANT LE VOYAGE !
ALORS C'EST D'ACCORD !

À MOI QUI SUIS DRUIDE COMME TOI, PANORAMIX, ME DONNERAIS-TU LA RECETTE DE LA POTION MAGIQUE ?
HMM! ET QU'EN FERAIS-TU ?

ÇA ME PERMETTRAIT DE DISTRIBUER UN PEU DE JUSTICE CHEZ LES FAI-BLES ET LES OPPRIMÉS !
SI JE NE PEUX PLUS RÉUNIR TOUS LES INGRÉDIENTS QUI COM-POSENT LA RECETTE, ALORS PEUT-ÊTRE...
BZZZ!

... MAIS ASTÉRIX ME RAPPORTERA DE L'HUILE DE ROCHE, J'EN SUIS SÛR !...
JE DOIS DONC EMPÊCHER ASTÉRIX ET OBÉLIX D'ATTEINDRE LEUR BUT !!!
BZZZ!

TU AS RAISON, PANORAMIX ! JE VOUDRAIS D'AILLEURS CONTRIBUER À CETTE RÉUSSITE, ET SI PERSONNE N'EST CONTRE, J'IRAI AVEC ASTÉRIX ET OBÉLIX EN MÉSOPOTAMIE !
BZZZ!
15A

ET C'EST LE JOUR DU DÉPART.
N'OUBLIEZ PAS QUE LE DESTIN DU VILLAGE EST ENTRE VOS MAINS CAR SANS POTION, NOUS SOMMES DES INVALIDES !
TU L'AS DIT, GROS DU BIDE !
TIENS, ASTÉRIX ! J'AVAIS HEUREUSEMENT GARDÉ CETTE GOURDE DE POTION MAGIQUE !

ET PRENDS GARDE À ZÉRO-ZÉROSIX ! QUELQUE CHOSE ME DIT QUE NOUS DEVONS NOUS EN MÉFIER !
N'AIE CRAINTE ! J'OUVRIRAI L'OEIL !

JE PEUX?
BEN ESSAYE !
MAIS OÙ EST PASSÉ ZÉROZÉROSIX ?
15B

MAINTENANT, VA PORTER MON MESSAGE À SOUTIENMORDICUS !

ET NE FLÂNE PAS EN ROUTE, C'EST URGENT !
BZZZZZZZ

ALORS COMMENCE LE DIFFICILE ET PÉRILLEUX VOYAGE DU TAON VOYAGEUR. AFFRONTANT LES TEMPÊTES...
BZZZZZZZZ!

...ET LES DANGERS MULTIPLES...
?!
BZZZZZZZ

ZIP!
ZIP!
ZIP!
ZIP!
CLAC!

... LE PLUS PETIT AUXILIAIRE DES SERVICES SECRETS DE CÉSAR TERMINE ENFIN SON VOYAGE, HARASSÉ DE FATIGUE.

?!
FLOP!

AH NON ! J'AI HORREUR DES MOUCHES DANS MON POTAGE !!!

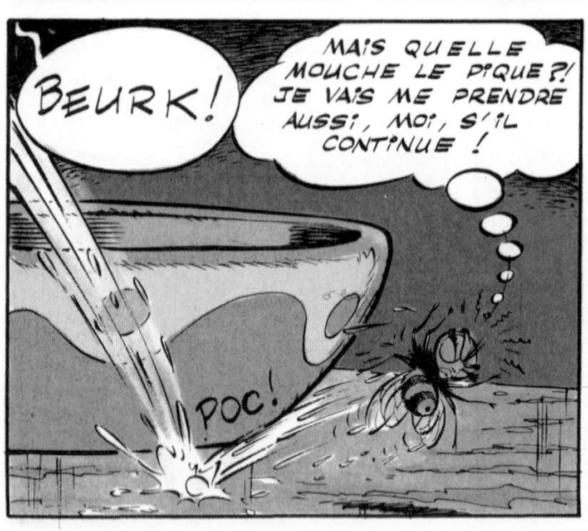
BEURK!
MAIS QUELLE MOUCHE LE PIQUE ?! JE VAIS ME PRENDRE AUSSI, MOI, S'IL CONTINUE !
POC!

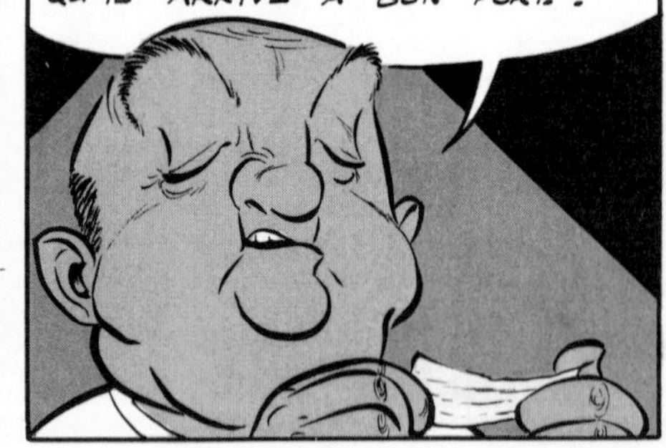
VOYONS CE QUE M'ÉCRIT ZÉRO-ZÉROSIX ! " SUIS SUR NAVIRE PHÉNICIEN EN ROUTE POUR MÉSO-POTAMIE AVEC IRRÉDUCTIBLES GAULOIS. EMPÊCHEZ À TOUT PRIX QU'IL ARRIVE À BON PORT.".

ZÉROZÉROSIX DOIT AVOIR SES RAISONS POUR EMPÊCHER L'ABOUTISSEMENT DE CE VOYAGE. JE VAIS DEMANDER QUE L'ON FASSE LE NÉCESSAIRE !

QUANT À TOI, TU VAS ILLICO REJOINDRE ZÉROZÉROSIX ! ALLEZ, OUSTE !
HOLÀ ! DOUCEMENT ! ON NE M'ATTRAPE PAS AVEC DU VINAIGRE, MOI !
POC!

PENDANT CE TEMPS, VOGUANT SUR L'OCÉAN...
C'EST BIZARRE, ASTÉRIX ! DEPUIS QUELQUE TEMPS, ZÉROZÉROSIX N'ATTIRE PLUS LES MOUCHES !
ESPÉRONS QU'IL NE NOUS ATTIRERA PAS D'ENNUIS !

CE SONT TOUJOURS DES ASSOCIÉS QUI ONT MAL LU LEUR CONTRAT D'ASSOCIATION ? *
NON ! J'AI CRÉÉ UN CLUB DE VACANCES-CROISIÈRE ET CEUX-LÀ SONT DES G.M. - GÉNÉREUX MARSOUINS -, CAR ILS ONT PARTICIPÉ AUX FRAIS DU VOYAGE. MOI, JE SUIS LEUR G.O. - GRAND ORDONNATEUR - !
* VOIR "ASTÉRIX GLADIATEUR".

UNE VOILE À L'HORIZON, G.O. !
DES CLIENTS ! VITE, HISSEZ LE PAVILLON !

GRANDE QUINZAINE COMMERCIALE

LES CLIENTS NOUS SALUENT EN HISSANT UN PAVILLON NOIR, G.O. !
?!

LES PIRATES ! ILS VONT PREN- -DRE TOUTE MA MARCHANDISE !!
ET POURQUOI PAS ?!
17A

CORNES DE BOUC, GARÇONS ! LA CARGAISON DE CE NAVIRE PHÉNICIEN VA NOUS COUVRIR D'OR ! GNHI ! ! GNHI ! ! !
HÉ HÉ HÉ !

MES CHERS G.M., CONNAISSEZ-VOUS CE NOUVEAU JEU QU'ON APPELLE LA BATAILLE NAVALE ?
AH, NON, MON CHER G.O. ! NOUS SOMMES LAS DE TOUS CES DIVERTISSEMENTS, ET NOUS SOUHAITERIONS RENTRER CHEZ NOUS AU PLUS VITE POUR NOUS REPOSER EN TRAVAILLANT !

JE CROIS QUE NOUS NE POURRONS PAS COMPTER SUR LES GÉNÉREUX MARSOUINS, OBÉLIX !
TANT MIEUX ! MOINS ON EST DE FOUS, PLUS ON RIGOLE !

COUCOU !
LES FOUS !
17B

JE LES TROUVE MOUS, ASTÉRIX ! ILS RESPIRENT POURTANT UN BON AIR MARIN !?!
ILS PRENNENT PLUTÔT UN AIR MARRI EN NOUS VOYANT, OBÉLIX !
TCHRAC !
BRONG !

PAR ÉSUS ! IL FAUDRA JOUER SERRÉ POUR EMPÊCHER CES DEUX-LÀ D'ARRIVER À BON PORT !

CHERS G.M., NE VOUS AVAIS-JE PAS PROMIS DE SAINES DISTRACTIONS PENDANT CE VOYAGE ?!
C'EST SI DRÔLE QUE J'EN HURLE DE RIRE !
PAS MAL, CETTE IDÉE DE COMBAT-CHAUD EN PLEINE MER !

PEU APRÈS...
JE VOUS EN SUPPLIE ! ÉPARGNEZ MON NAVIRE ; J'AI ENCORE TROIS TRAITES À PAYER !
GRRRR !

QU'EST-CE QU'ON FAIT, ASTÉRIX ? ON COULE ?
NON, ON ÉCOULE ! JE SUIS SÛR QUE NOTRE HÔTE VEUT ABSOLUMENT ACHETER TOUT NOTRE STOCK DE MARCHANDISES !
QUI, MOI ?
18A

MILLE NEUF CENT QUATRE VINGT DIX NEUF ... DEUX MILLE, LE COMPTE Y EST !

VOUS M'AVEZ RUINÉ ! COMMENT VAIS-JE FAIRE POUR FINIR DE PAYER MON BATEAU ?
EN REVENDANT LA MARCHANDISE, PARDI !

NON OMNIA POSSUMUS OMNES !
BEN QUOI ? J'AI SAUVÉ LE BATEAU, NON ?
ON DEVAIT SE COUV'I' D'O' ET ON S'EST COUVE'T DE 'IDICULE !
BRAVO MES AMIS ! C'EST LA PREMIÈRE FOIS QUE JE VOIS TRAITER UNE AFFAIRE AVEC AUTANT DE PUNCH !
ON DEVRAIT LES NOMMER G.M. D'HONNEUR !
J'ESPÈRE QUE LES ROMAINS SAURONT MIEUX FAIRE QUE CES IMBÉCILES !
18B

OR, JUSTEMENT...
UNE VOILE À L'HORIZON, G.O. !

...UNE GALÈRE ROMAINE CROISE DANS LES PARAGES.
NAVIRE PHÉNICIEN DROIT DEVANT !
C'EST SÛREMENT CELUI QUI EMMÈNE LES IRRÉDUCTIBLES GAULOIS QU'ON NOUS A SIGNALÉS !

PRÉPARE-TOI À UN ABORDAGE COMME SEUL UN VRAI MAGISTER NAVIS * SAIT EN FAIRE. JE VAIS TE LEUR METTRE LE GRAPPIN DESSUS, MOI !
NE LES RATE PAS, SINON CÉSAR TE METTRA EN GALÈRE !
SPQR
* CAPITAINE DE NAVIRE ROMAIN.

CHIC ! DES ROMAINS ! ON VA ENFIN POUVOIR S'AMUSER !
QUELQUE CHOSE ME DIT QU'ILS NE SONT PAS ICI POUR ÇA !
PAF ! PAF ! PAF !
LA MOUCHE A BIEN TRANSMIS LE MESSAGE ! CE QUE C'EST BEAU, LES SERVICES SECRETS !
19A

NOUS ALLONS ASSISTER À LA MERVEILLEUSE MANŒUVRE D'ABORDAGE PRATIQUÉE PAR LA MARINE ROMAINE. TOUT D'ABORD, LES BALISTES LANCENT LES GRAPPINS...
TCHAC !
TCHAC !

ENSUITE, IL N'Y A PLUS QU'À TIRER, COMME POUR LA PÊCHE AU GROS.
QUI EST GROS ?
BONG !
TCHARRRCHHH...
19B

ON Y VA, OBÉLIX ?
ON Y VA, ASTÉRIX !
GLOP! GLOP! GLOP!

À L'ABORDAGE!

AH NON, AH NON ! AH MAIS C'EST INTERDIT, ÇA !!!
C'EST NOUS QUI VOUS AVONS ABORDÉS !

PIF
PAF!

C'EST CHAQUE FOIS LA MÊME CHOSE. DÈS QU'ILS SE SENTENT INFÉRIEURS EN NOMBRE, LES ROMAINS FONT LA TÊTE !
C'EST BIEN CONNU : POUR FAIRE UN BRAVE LÉGIONNAIRE, IL FAUT AVOIR L'ESPRIT JOYEUX, BON CŒUR ET MAUVAIS CARACTÈRE...
BLOMM!
BLAM!
FLAP!
GRRRR!

C'EST DOMMAGE, JE N'AI PLUS RIEN À VENDRE !
Y-A PAS, CES SPECTACLES SUR L'EAU, ÇA JETTE UN JUS !

MAIS C'EST PAS VRAI ! MAIS C'EST PAS VRAI !!!

ET SI POURTANT ! ET PEU APRÈS...
JE VAIS TE LEUR METTRE LE GRAPPIN DESSUS QU'Y DISAIT L'IMBÉCILE !!!
GLOUP! GLOUP! GLOUP! GLOUP!
AUSSI, QU'ALLAIS-JE FAIRE DANS CETTE GALÈRE ?!

MAIS UNE FOIS DE PLUS...
GALÈRE ROMAINE DROIT DEVANT, G.O. !

... C'EST L'ABORDAGE MAINTENANT CLASSIQUE...
BONG!

... SUIVI D'UN COMBAT ET D'UN ÉPILOGUE NON MOINS TRADITIONNELS.
ON S'AMUSE BIEN, HEIN ASTÉRIX ?!
OUI MAIS JE TROUVE ÉTRANGE DE VOIR LES ROMAINS METTRE TANT D'EN-TÊTEMENT À NOUS CHERCHER NOISE, OBÉLIX !
BING
BANG!
PIF!
PAF!

À CHAQUE FOIS QUE JE REVOIS CETTE SCÈNE, J'Y DÉCOUVRE QUELQUE CHOSE DE NOUVEAU !
21A

MAIS À ROME...
PAR JUPITER! ILS VONT VOIR CE QUE C'EST QUE LA COLÈRE DE CÉSAR !!!

VOUS, LES PRAEFECTI (1), VOUS ALLEZ RÉUNIR MON ARMADA ET ME BLOQUER TOUS LES PORTS DE LA MER INTÉRIEURE (2)
(1) COMMANDANTS D'ESCADRE.
(2) MER MÉDITERRANÉE.

JE VEUX QUE MÊME UNE MOUCHE NE PUISSE PASSER AU TRAVERS DES MAILLES DU FILET !
TIENS ! EN PARLANT DE MOUCHE...

SOUTIENMORDICUS!

AS-TU DES NOUVELLES DE CET AGENT ZÉROZÉRO... QUELQUE CHOSE ?
CLAC!
HÉLAS, CÉSAR, NOUS AVONS QUELQUES PROBLÈMES AVEC NOS MOYENS DE COMMUNI-CATION !
21B

DES PROBLÈMES? QUELS PROBLÈMES ?
LA MOUCHE QUI PORTE NOS MESSAGES FAIT LA GRÈVE SUR LE TAS, ET COMME JE NE SAIS PAS DE QUEL TAS IL S'AGIT, JE NE PEUX PAS LA...

TU VEUX SAVOIR SI LES LIONS DU CIRQUE FONT LA GRÈVE DE LA FAIM ?!!! TU VEUX SAVOIR ?!!!
POC!

JE VAIS ESSAYER DE L'AVOIR PAR LA GOURMANDISE !...
PETITE PETITE PETITE PETITE PETITE PETITE...
MIEL

BZZ ZZ ZZZ ZZZ ZZZZ
ÉVIDEMMENT !...
BZZZZZZZZZZZZZZZZZZZZZZZZZ
BZZZZ ZZZZZ
MIEL
22A

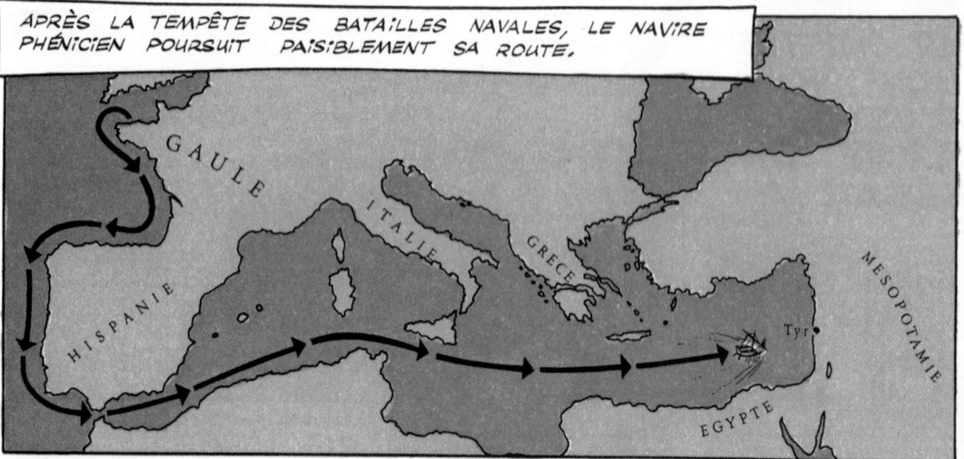
APRÈS LA TEMPÊTE DES BATAILLES NAVALES, LE NAVIRE PHÉNICIEN POURSUIT PAISIBLEMENT SA ROUTE.
GAULE
ITALIE
GRECE
HISPANIE
MESOPOTAMIE
Tyr
EGYPTE

ASTÉRIX, JE M'ENNUIE. ET QUAND JE M'ENNUIE, J'AI FAIM !
SOIS PATIENT, OBÉLIX ! NOUS DEVRIONS BIENTÔT ACCOSTER À TYR !

TERRE ET TYR EN VUE !

MAIS L'UN DES PLUS BEAUX PORTS DE COMMERCE DE PHÉNICIE EST DEVENU INACCESSIBLE. BIRÈMES, TRIRÈMES, QUADRI--RÈMES ET AUTRES QUINQUÈRÈMES BLOQUENT SON ACCÈS.
22B

JE N'AI JAMAIS VU AUTANT DE NAVIRES DE GUERRE ! QU'EST-CE QUE CELA VEUT DIRE ?
JE SENS QUE NOUS N'ALLONS PAS TARDER À LE SAVOIR !

EN EFFET !...
?!
PLOF!
PLOF!
PLOF!
PLOF!
PLOF!

EN ARRIÈRE, TOUTES!
PLOF!
PLOF!
PLOF!

HÉHÉ ! CÉSAR, C'EST UN JULES, TOUT DE MÊME !
TANT PIS ! S'IL LE FAUT, NOUS IRONS ACCOSTER À SIDON, À BYBLOS, OU À ARAD* !
* AUTRES PORTS PHÉNICIENS.
23A

MAIS DEVANT SIDON...

...BYBLOS...

...ET ARAD, C'EST LE MÊME ACCUEIL.

ASTÉRIX, J'AI FAIM !
ÇA TOMBE MAL ! IL Y AVAIT JUSTE DE QUOI FAIRE JUSQU'À TYR ! MAINTENANT, IL N'Y A PLUS DE VIVRES !

DU POTAGE : C'EST TOUT CE QUE LE CUISINIER A PU FAIRE !
CE BLOCUS DEVIENT TRÈS HORRIPILANT !
BLOCUS, C'EST TON CUISINIER ?
23B

À PRÉSENT, J'EN SUIS SÛR: LES ROMAINS ONT ÉTÉ AVERTIS ET CONNAISSENT LE BUT DE NOTRE VOYAGE !

EUH !... MAIS COMMENT EST-CE POSSIBLE ? NOUS SOMMES LES SEULS À...
BZZZZZZZZZZZ
FLOC

AH NON!
J'AI HORREUR DES MOUCHES DANS MON POTAGE !!!

?!? MAIS ... C'EST "LA MOUCHE"!

ON VOIT QU'ON SE RAPPROCHE DES CÔTES: IL LES ATTIRE À NOUVEAU !

EUH... PAR CONTRE, J'ADORE LEUR PORTER SECOURS, ET CELLE-CI A GRAND BESOIN DE MES SOINS. VOUS PERMETTEZ ?
!?
?!
?!

IL EST FOU CE DRUIDE !
EN TOUT CAS, IL NE FERAIT PAS DE MAL À UNE MOUCHE !
TOC! TOC!
GLOP! GLOP!
24A

IL FAUT CONCLURE RAPIDEMENT-CESAR S'IMPATIENTE ET LES LIONS ONT UN FEROCE APPETIT-
SOUTIENMORDICUS

LES GAULOIS NE VONT SÛREMENT PAS EN RESTER LÀ ! JE VAIS DIRE À ROME DE FAIRE DÉTRUIRE TOUS LES STOCKS D'HUILE DE ROCHE QUI SONT EN PALESTINE !
GLOP! GLOP! GLOP!
MIEL

OUF! ÇA VA MIEUX ! LE PLUS PÉNIBLE DANS CES VOLS LONG-COURRIERS, CE SONT LES DÉCALAGES HORAIRES !
MIEL

VA VITE ! LA RÉUSSITE ET LA FORTUNE DÉPENDENT DE TOI !
LES HOMMES SONT SANS PITIÉ ! FAUT-IL QUE JE L'AIME, CELUI-LÀ !
BZZZZZZZZZZZ

NOUS SOMMES DÉSOLÉS DE T'APPORTER TANT D'ENNUIS, ÉPIDEMAÏS !
CELA M'AMUSE ASSEZ DE FAIRE LA NIQUE AUX ROMAINS !

ET PUIS DEMAIN, NOUS LONGERONS LA CÔTE DU ROYAUME DE JUDÉE ET JE VOUS PROMETS UNE TERRE PLUS HOSPITALIÈRE POUR VOUS DÉBARQUER !
24B

LE LENDEMAIN MATIN...
VOICI LA TERRE PROMISE, ASTÉRIX !

VA À JÉRUSALEM ET VA VOIR DE MA PART SAMSON PLUDECHORUS ; C'EST MON FOURNISSEUR. CHEZ LUI, TU TROUVERAS DE L'HUILE DE ROCHE.

MERCI, ÉPIDEMAÏS ! À BIENTÔT, PEUT-ÊTRE ?
JE L'ESPÈRE ! VOTRE CONTACT EST TRÈS ENRICHISSANT !...

ET MOI J'AI TOUJOURS FAIM ! TU CROIS QU'IL Y A DES SANGLIERS, ICI ?
CE QUI IMPORTE MAINTENANT, C'EST DE TROUVER NOTRE CHEMIN !
25A

VOILÀ QUELQU'UN QUI VA PEUT-ÊTRE NOUS AIDER !

HO, L'AMI ! PEUX-TU NOUS INDIQUER LA ROUTE DE JÉRUSALEM ?
MON ÂNE ET MOI, NOUS Y ALLONS JUSTEMENT ! FAISONS ROUTE ENSEMBLE !

JE M'APPELLE JOSUÉ. JOSUÉ PAZIHALÉ.
MOI, C'EST ASTÉRIX ET VOICI OBÉLIX, IDÉFIX, ET LE DRUIDE ZÉROZÉROSIX !

NOUS VENONS DE GAULE POUR ACHETER DE L'HUILE DE ROCHE CHEZ SAMSON PLUDECHORUS, LE MARCHAND.
JE NE PENSAIS PAS QU'ON POUVAIT VENIR D'AUSSI LOIN POUR SI PEU DE CHOSE !

IL Y A BEAUCOUP DE ROMAINS ICI ?
MOINS QU'EN PHÉNICIE QUI EST PROVINCE ROMAINE. NOUS NE SOMMES QU'UN PROTEC-TORAT ET LES ROMAINS N'ONT QU'UNE FAIBLE GARNISON À JÉRUSALEM !
25B

DU PORC ?!! MAIS C'EST ABSO-LUMENT INTERDIT PAR NOS LOIS ! D'AILLEURS MÊME LES AUTRES VIANDES NE PEUVENT ÊTRE CONSOMMÉES QUE SI ELLES SONT CACHÈRES*

*VIANDES DE BÊTES ABATTUES SELON LES RITES, CHEZ LES JUIFS.

PAS CHÈRES ! DITES, VOUS NE SERIEZ PAS UN PEU PRÈS DE VOS SESTERCES DANS CE PAYS ?

26A

SHALOM, ISAÏE ! QUOI DE NEUF ?
RIEN, SINON QUE LES ROMAINS ONT DOUBLÉ LA GARDE ET QU'ILS SURVEILLENT ÉTROITEMENT TOUTES LES ISSUES DE LA VILLE !

QUE CHERCHENT-ILS ?
TROIS GAULOIS ET UN CHIEN, ET SI J'ÉTAIS À LA PLACE DE TES AMIS, JE SERAIS TRÈS PRUDENT !

ÇA MARCHE ! LE MESSAGE EST ENCORE BIEN ARRIVÉ !
IL A RAISON ! NOUS ALLONS TE QUITTER POUR T'ÉVITER DES ENNUIS !
POURQUOI ÊTES-VOUS RECHERCHÉS PAR LES ROMAINS ?

ILS TENTENT DE NOUS EMPÊCHER D'ACHETER ET DE RAPPORTER DE L'HUILE DE ROCHE EN GAULE !
MAIS ILS VEULENT LA MORT DU PETIT COMMERCE, ALORS ?!!

SUIVEZ-MOI ! JE VOUS EMMÈNE CHEZ UN AMI, DANS UN VILLAGE TOUT PRÈS DE JÉRUSALEM. LES ROMAINS N'AURONT JAMAIS L'IDÉE DE VOUS Y CHERCHER !
27A

CETTE NUIT, NOUS TROUVERONS BIEN LE MOYEN DE VOUS FAIRE PASSER PAR-DELÀ LES REMPARTS !
POURQUOI PRENDS-TU LE RISQUE DE NOUS AIDER, JOSUÉ ?

QUE NOUS SOYONS DE JUDÉE, DE SAMARIE OU DE GALILÉE, NOUS DEVONS NOUS MÉFIER DE LA PUISSANCE DE ROME ET AIDER CEUX QUI LA COMBATTENT !

NOUS ARRIVONS !

JE N'AI JAMAIS VU UN TEL APPÉTIT ! C'EST LA DIXIÈME CARPE FARCIE QU'IL AVALE ET IL EN REDEMANDE ENCORE !
POUR VOUS DÉTENDRE UN PEU, JE NE PEUX QUE VOUS PROPOSER L'ÉTABLE, MAIS VOUS VERREZ, ON Y EST TRÈS BIEN !
JE VIENDRAI VOUS Y CHERCHER DANS LA NUIT !

ET LE SOIR VENU...
C'EST POURTANT VRAI QU'ON EST BIEN ICI ! COMMENT S'APPELLE CE VILLAGE ?
BETHLÉEM, JE CROIS !
27B

C'EST L'HEURE ! VENEZ, DES AMIS NOUS ATTENDENT SUR LES REMPARTS DE JÉRUSALEM !

NOUS Y SOMMES ! SOYEZ SILENCIEUX : J'AI PEUR QUE LES ROMAINS NOUS SURPRENNENT !
C'EST EUX QUI DEVRAIENT AVOIR PEUR !
IL FAUT QUE JE TROUVE LE MOYEN D'ALERTER LES SENTINELLES !

À TOI MAINTENANT !
28A

C'EST LE MOMENT !

OUÏE !
?!

HOULA ! HOULA ! QUE J'AI MAL !
MAIS FAIS-LE TAIRE OBÉLIX !!!

C'EST PAS UN PEU FINI CES LAMENTATIONS ?!
POC !

LES... LES ROMAINS !!!
CHIC, CHIC, CHIC CHIC, CHIC !
CE SONT EUX ! ATTRAPEZ-LES !
OUAH !
28B

ILS VEULENT ME METTRE AU PIED DU MUR ! ILS SONT FOUS CES ROMAINS !
GLOP GLOP GLOP GLOP !
J'ARRIVE OBÉLIX !
GRRRRR !
TCHRAACC !

BADABLAM !

VITE ! FRANCHISSONS LE MUR ! MAINTENANT LES ROMAINS SONT ALERTÉS !
EN TOUT CAS, CEUX-LÀ NE SONT PLUS TRÈS ALERTES !
OUI, JE LES TROUVE PLUTÔT MOUS SUR LA TERRE FERME !
29 A

PAR YAHVÉ ! VOUS ET LES ROMAINS, C'ÉTAIT DAVID CONTRE GOLIATH ET POURTANT QUELLE RACLÉE ILS ONT PRISE !
OUI ET JE NE SUIS PAS FÂCHÉ D'ÊTRE ENFIN DÉBARRASSÉ DE CET ESPION DE DRUIDE !

NOUS ARRIVONS CHEZ SAMSON PLUDECHORUS, LE MARCHAND !

JE T'AMÈNE DES CLIENTS QUI VIENNENT DE LOIN, SAMSON !
NOUS VOUDRIONS DE L'HUILE DE ROCHE ET NOUS SOMMES TRÈS PRESSÉS !
HOYOYOYE ! HÉLAS !

LES ROMAINS VIENNENT DE BRÛLER TOUTES NOS RÉSERVES ET J'AI BIEN PEUR QUE VOUS NE PUISSIEZ EN TROUVER, NE SERAIT-CE QU'UNE GOUTTE, DANS TOUT LE PAYS !
?!
29B

MAIS CETTE HUILE DE ROCHE EST VITALE POUR NOUS ET NOUS DEVONS ABSOLUMENT EN RAPPORTER EN GAULE !
ALORS VOUS DEVREZ ALLER LA CHERCHER LÀ OÙ ON LA TROUVE, DANS LA RÉGION DE BABYLONE, EN MÉSOPOTAMIE !

C'EST LOIN D'ICI ?
À TRENTE JOURS DE MARCHE, AUSSI IL VOUS FAUDRA TRAVERSER LE DÉSERT !

JE NE CONNAIS PAS ENCORE CE GENRE DE TRAVERSÉE MAIS PAR TOUTATIS, JE SUIS CERTAIN DE M'EN SORTIR TRÈS VITE !

VOICI SAÜL PÉHYÉ, MON COMMIS. AU LEVER DU SOLEIL, IL VOUS GUIDERA JUSQU'AUX PORTES DU DÉSERT !
VOUS PASSEREZ PLUS FACILEMENT INAPERÇUS EN PORTANT CES VÊTEMENTS !
COMMENT VOUS REMERCIER ?

BAH ! SI VOTRE BUT EST DE GÊNER LES ROMAINS, ALORS NOUS SOMMES QUITTES !
MAIS SAMSON PLUDECHORUS, PLUDECHORUS A UNE CONSO-NANCE BIEN ROMAINE ?

J'AI PRIS CE NOM POUR DES RAISONS COMMERCIA-LES ! EN FAIT, JE M'APPELLE ROSENBLUMENTHALOVITCH !

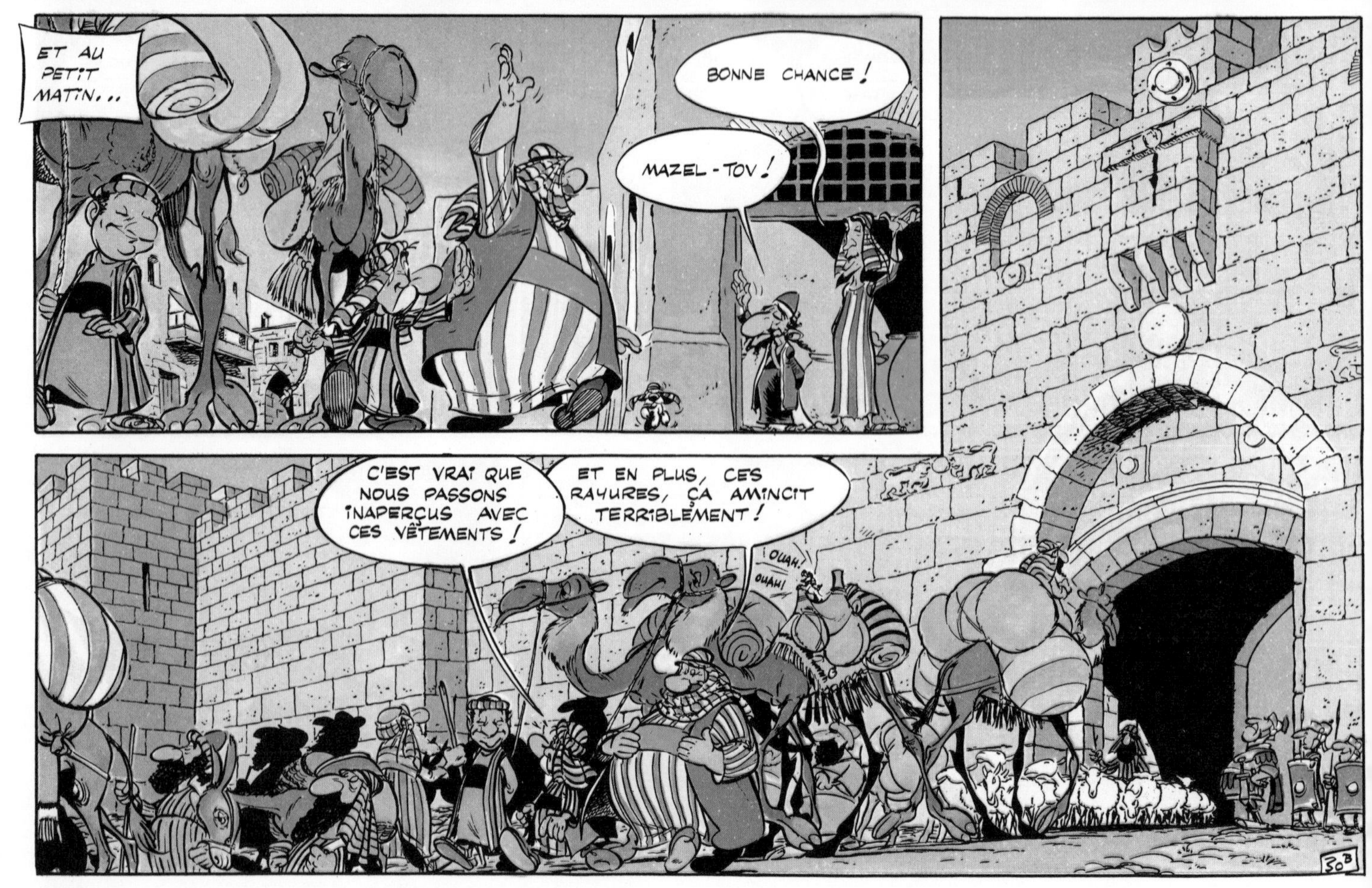
ET AU PETIT MATIN...
BONNE CHANCE !
MAZEL-TOV !
C'EST VRAI QUE NOUS PASSONS INAPERÇUS AVEC CES VÊTEMENTS !
ET EN PLUS, CES RAYURES, ÇA AMINCIT TERRIBLEMENT !
OUAH !
OUAH !

CHEZ LE PROCURATEUR DE ROME EN JUDÉE ...
AVE, Ô PONCE PÉNATES ! LES GAULOIS NOUS ONT ÉCHAPPÉ, ET IL EST À CRAINDRE QU'ILS SOIENT LOIN, À PRÉSENT !
ALORS, MON CHER DRUIDE-ESPION, CE QU'ILS FERONT MAINTENANT HORS DU TERRITOIRE DONT J'AI LA CHARGE, M'EST TOTALEMENT INDIFFÉRENT !
IL M'ÉNERVE, À TOUJOURS SE LAVER LES MAINS, CELUI-LÀ!

MAIS PEU IMPORTE ! NOUS ATTENDRONS ASTÉRIX ET OBÉLIX LÀ OÙ ILS DEVRONT FATALEMENT REEMBARQUER ET ILS Y TROUVERONT UN COMITÉ D'ACCUEIL À LA HAUTEUR DE LEURS MÉRITES !

CEPENDANT...
NOUS APPROCHONS DE LA MER MORTE !
ÇA ME FAIT MAL AU COEUR, ASTÉRIX !
JE DOIS RECONNAÎTRE QUE CES MONTURES SONT ASSEZ INCONFORTABLES !

C'EST PAS ÇA ! ÇA ME FAIT MAL AU COEUR DE SAVOIR QUE DANS CE PAYS, ON SOIT AUSSI RACISTE ENVERS LES SANGLIERS !
?!?
31 A

LA MER! YOUPiiii!

AVEC CETTE CHALEUR, C'EST UN BON PLONGEON QU'IL ME FAUT !
HÉ, ATTENDS !

HOP !

?
FLOP!
FLOP!
FLOP!
FLOP!

JE VOULAIS TE PRÉVENIR : LA MER MORTE CONTIENT SIX FOIS PLUS DE SEL QUE LES AUTRES MERS ET SA DENSITÉ EST SI FORTE QUE LE CORPS HUMAIN NE PEUT S'Y ENFONCER !
HiHiHi! HoHo!
OUARF! OUARF! OUARF!
31 B

NOUS SOMMES AUX PORTES DU DÉSERT ET JE DOIS VOUS QUITTER. POUR LA MÉSOPOTAMIE, C'EST FACILE: TOUJOURS TOUT DROIT VERS LE LEVANT !
ENCORE MERCI, SAÜL PÉHYÉ !

LE DÉSERT, C'EST D'ABORD UN SOLEIL BRÛLANT...

...ENSUITE, DES NUITS GLACIALES.
IL EST FOU CE DÉSERT !

TRENTE JOURS COMME ÇA, ÇA VA ÊTRE MONOTONE !

?!
TCHAC !

VITE ! METTONS-NOUS À L'ABRI !

QUI ÊTES-VOUS ?
NOUS SOMMES DES GAULOIS !

IL FAUT NOUS EXCUSER, ON VOUS A PRIS POUR DES AKKADIENS ! NOUS LES SUMÉRIENS, NOUS SOMMES EN GUERRE CONTRE EUX !
LA PROCHAINE FOIS, TÂCHEZ DE VOUS INFORMER AVANT !
EST-CE QU'ON A UNE TÊTE D'AKKADIEN, NOUS ?

OUF! ON A EU CHAUD!
ILS SONT FOUS, CES SUMÉRIENS!
TOC! TOC! TOC!

!
TCHAC!

À L'ABRI!

QUI ÊTES-VOUS ?
NOUS SOMMES GAULOIS!

VOUS VOUDREZ BIEN NOUS EXCUSER, ON VOUS A PRIS POUR DES HITTITES! NOUS, LES AKKADIENS, NOUS SOMMES EN GUERRE CONTRE EUX!
ALORS FAITES ÇA SANS NOUS!
EST-CE QU'ON A UNE TÊTE DE HITTITE, NOUS ?
33A

ET DIRE QUE JE CRAIGNAIS UNE CERTAINE MONOTONIE!
ILS SONT FOUS, CES AKKADIENS!
TOC! TOC! TOC!

!
TCHAC!

...ABRI !!!

QUI ÊTES-VOUS ?
DES GAULOIS!

VEUILLEZ NOUS EXCUSER, ON VOUS A PRIS POUR DES ASSYRIENS! NOUS, LES HITTITES, NOUS SOMMES EN GUERRE CONTRE EUX!
EST-CE QU'ON A UNE TÊTE D'ASSYRIEN, NOUS ?!!
33B

ILS SONT FOUS, CES HITTITES !
IL Y A DÉCIDÉMENT BEAUCOUP TROP DE MONDE, DANS CE DÉSERT !
TOC! TOC!

TCHAC!

QUI ÊTES-V...
GAULOIS!

JE SAIS! VOUS ÊTES DES ASSYRIENS ET VOUS VOUS EXCUSEZ ! MAIS ENFIN, POUR QUI NOUS PRENEZ-VOUS ?!?
BEN... POUR DES MÈDES !
34 A

EST-CE QU'ON A UNE TÊTE DE MÈDE, NOUS ? ILS SONT FOUS CES ...
TOC! TOC!

!
PARDON MESSIEURS ! NOUS SOMMES DES GUERRIERS MÈDES ÉGARÉS DANS CE DÉSERT !...

AURIEZ-VOUS L'OBLIGEANCE DE NOUS EN INDIQUER LA SORTIE ?

C'EST SIMPLE! IL N'Y A QU'À SUIVRE LES FLÈCHES!
?!
34 B

HMM! ILS . SONT FOUS, CES ...
TOC! TOC!

ASSEZ!!! TU M'AGACES À RÉ--PÉTER TOUJOURS LA MÊME CHOSE!

MAIS ... IL EST FOU, CET ASTÉRIX!
TOC! TOC! TOC!

ASTÉRIX, J'AI SOIF!
BOIS DE L'EAU!

JE NE PEUX PAS: IL N'Y EN A PLUS!
?!?

UNE FLÈCHE A PERCÉ L'OUTRE!
!!

SANS EAU, NOUS NE POURRONS JAMAIS ATTEINDRE BABYLONE! ALORS PAS D'HUILE DE ROCHE ET PLUS DE POTION MAGIQUE! C'EST FICHU, A MOINS DE RENCONTRER QUELQU'UN POUR NOUS AIDER!!!
TOUT À L'HEURE, TU TE PLAIGNAIS D'AVOIR TROP DE MONDE!...

OBÉLIX, TU ME FATIGUES!!!
REGARDE IDÉFIX!

... ON DIRAIT QU'IL A TROUVÉ QUELQUE CHOSE!
SNIFF! SNIFF! SNIFF!

IL A PEUT-ÊTRE DÉCOUVERT UNE SOURCE ?!
ET POURQUOI PAS! IDÉFIX PEUT TROUVER N'IMPORTE QUOI! IL SUFFIT DE LUI DEMANDER!
GRAT! GRAT!

BRRRRAAAAAOO
?!?
GRAT! GRAT!

OUUUUMM
?
GRAT! GRAT! GRAT!

!?!
BRAOM

POUAH ! CETTE EAU EST IMBUVABLE !

CE N'EST PAS DE L'EAU, C'EST DE L'HUILE ! DE L'HUILE DE ROCHE !

FORMIDABLE ! PLUS BESOIN D'ALLER JUSQU'À BABYLONE !
JE LE DISAIS BIEN QU'IDEFIX ÉTAIT CAPABLE DE TOUT TROUVER !

J'AI RÉPARÉ L'OUTRE PERCÉE. REMPLISSONS-LA, ET QUITTONS VITE CE DÉSERT !

PEU APRÈS...
MAINTENANT, DÉPÊCHONS-NOUS DE REJOINDRE LE NAVIRE D'ÉPIDEMAÏS À TYR ET DE VITE RENTRER EN GAULE !

?
OUAH ! OUAH !
JE SENS DÉJÀ LES SANGLIERS RÔTIS !

MAIS CHEZ LE PRAEFECTUS CLASSIS À TYR...
QUI ES-TU ET QUE VEUX-TU, ÉTRANGER ?
JE SUIS ENVOYÉ PAR CÉSAR QUI VIENT DE ME FAIRE PARVENIR CE MESSAGE. TU DOIS DONNER ORDRE DE DÉTRUIRE ET COULER TOUT NAVIRE MARCHAND PRÊT À APPAREILLER POUR LA GAULE !
BZZZ

TU DOIS AVOIR UN MESSAGER ZÉLÉ AUTANT QU'AILÉ POUR FAIRE AUSSI RAPIDEMENT LE TRAJET QUI SÉPARE ROME DE TYR ?
OUI ! ET C'EST UNE FINE MOUCHE !
BZZZZ

ENFIN, APRÈS DES JOURS D'UNE COURSE HARASSANTE ...
BEURK ! J'AI UN DE CES MAL DE MER, MOI !
ÇA VA OBÉLIX ?
MOI ? OUI, POURQUOI ?

... C'EST LE RETOUR SUR TYR.
UTILISONS À NOUVEAU LES VÊTEMENTS DE SAMSON PLUDECHORUS AFIN D'ENTRER DANS LE PORT SANS NOUS FAIRE REMARQUER !
C'EST BIEN LA DERNIÈRE FOIS QUE JE ROULE MA BOSSE DE CETTE FAÇON !

C'EST PLEIN DE ROMAINS, ICI ! SOYONS PRUDENTS !

COMMENT FAIRE POUR RETROUVER ÉPIDEMAÏS, DANS TOUT ÇA ?
ATTENDS, J'AI UNE IDÉE !
37A

PARDON, MILITAIRE ...
HMM ?

OÙ PEUT-ON TROUVER ÉPIDEMAÏS, S'IL VOUS PLAÎT ?
LE MARCHAND PHÉNICIEN ? SON DÉPÔT DE MARCHANDISES EST AU BOUT DU PORT ET VOUS NE POUVEZ PAS VOUS TROMPER C'EST TOUT DROIT MAINTENANT VOUS POUVEZ ME LÂCHER S'IL VOUS PLAÎT ? MERCI !

BLING !

TU VOIS ? ON PEUT TOUT OBTENIR, AVEC UN PEU DE SAVOIR-VIVRE !
BRAVO ! AVEC TES IDÉES ASSOMMANTES NOUS AURONS BIENTÔT TOUTE LA GARNISON ROMAINE DE TYR SUR LE DOS !

ÉPIDEMAÏS IMPORT - EXPORT
OH BIEN SÛR QUAND L'IDÉE NE VIENT PAS DE MÔSSIEU ASTÉRIX ...
C'EST ICI !
ALERTE !!! À LA GARDE !
37B

ÉPIDEMAÏS ! VITE, IL FAUT LEVER L'ANCRE ! OÙ EST TON NAVIRE ?
IL N'Y A PLUS DE NAVIRE ! FINI, LE NAVIRE !

COMMENT ÇA : PLUS DE NAVIRE ?
LES ROMAINS L'ONT INCENDIÉ SUR L'ORDRE DE JULES CÉSAR. ILS ONT COULÉ MON ENTREPRISE, ET MOI JE SOMBRE DANS L'ENNUI ET LA MÉLANCOLIE !

J'AURAIS DÛ ME DOUTER QUE LES ROMAINS, RENSEI-GNÉS PAR ZÉROZÉROSIX, NOUS EMPÊCHERAIENT DE RÉEMBARQUER POUR LA GAULE !

ILS SONT ICI !!! FOUILLEZ-MOI CE DÉPÔT !
38A
VENEZ ! SUIVEZ-MOI !

POUR ME PRÉSERVER DES QUESTEURS ROMAINS ET DE LEURS TAXES, J'AI FAIT CONSTRUIRE CE TUNNEL ...

... QUI ABOUTIT À CE DÉPÔT SOUTERRAIN. C'EST CE QUE J'APPELLE LE PRINCIPE DES BASES COMMUNICANTES !

NOUS SOMMES JUSTE AU-DESSOUS DU QUAI PRINCIPAL ...

... ET IRONIE DU SORT, EN FACE DE LA GALÈRE AMIRALE DE JULES CÉSAR !
38B

CÉSAR EST ICI ?
NON, MAIS IL A PRÊTÉ SA GALÈRE AU CHEF DE SES SERVICES SE-CRETS QUI EST VENU SURVEILLER VOTRE CAPTURE !

EN EFFET, À BORD DE LA GALÈRE DE JULES CÉSAR :
CÉSAR S'IMPATIENTE, ZÉROZÉROSIX ! OÙ EN ES-TU AVEC LE SECRET DE LA POTION MAGIQUE ?
IL ME RESTE À FAIRE DISPARAÎTRE ASTÉRIX ET OBÉLIX ET ÇA NE SAURAIT TARDER : ILS VIENNENT D'ÊTRE REPÉRÉS VÊTUS D'HABITS HÉBREUX !
BZZZZ

J'AI UNE IDÉE !
PFF ! COPIEUR !

TES MARINS SONT TOUJOURS DISPONIBLES, ÉPIDEMAÏS ?
OUI, MAIS CE NE SONT PLUS LES MEMBRES D'UN CLUB DE VOYAGE. MAINTENANT, CE SONT LES GAGNANTS D'UN CONCOURS QUE J'AI ORGANISÉ ET OÙ TOUS LES PRIX SONT UNE CROISIÈRE EN MER, FRAIS NON COMPRIS !

ALORS TU VAS LES RÉUNIR ET VOILÀ CE QUE NOUS ALLONS FAIRE !...
39A

ET LA NUIT TOMBÉE ...

SALUT MILITAIRE !
HALTE !!! QUI VA LÀ ?

TU AS DE LA CHANCE, GAULOIS : UN MOMENT, J'AI CRU QUE TU ÉTAIS VÊTU D'HABITS HÉBR...

BING !

VITE ! DÉPÊCHONS-NOUS D'EMBARQUER LA MARCHANDISE !
39B

MAIS JE RETROUVE UNE VIEILLE CONNAISSANCE !
ASTÉRIX!
LE GAULOIS?

POC!

LAISSEZ-MOI FAIRE ; JE VAIS VOUS SORTIR LE BATEAU DU PORT !

ILS SONT AUSSI BONS MARINS QUE MARCHANDS ! ILS MÉRITERAIENT D'ÊTRE PHÉNICIENS !

C'EST JULES CÉSAR QUI NE VA PAS ÊTRE CONTENT !
BIEN AU CONTRAI-RE ! CÉSAR SERA FOU DE JOIE EN LISANT LE MESSAGE QUE JE VAIS LUI FAIRE PARVENIR !...

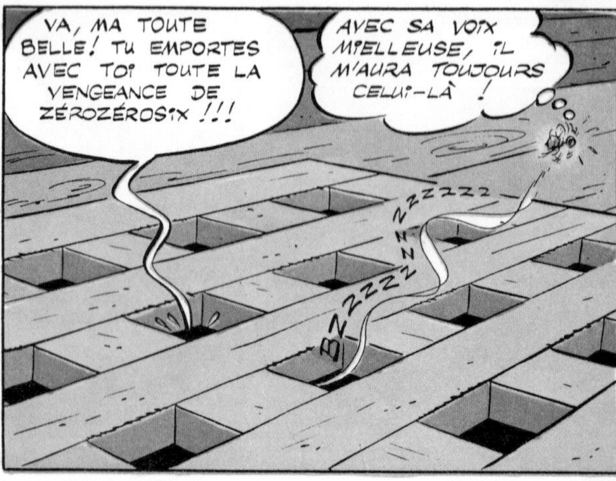
VA, MA TOUTE BELLE ! TU EMPORTES AVEC TOI TOUTE LA VENGEANCE DE ZÉROZÉROSIX !!!
AVEC SA VOIX MIELLEUSE, IL M'AURA TOUJOURS CELUI-LÀ !

PLUS TARD, À ROME...
UN MESSAGE POUR TOI, Ô CÉSAR ! IL N'EST PAS TRÈS PRÉSENTABLE ; LE PORTEUR EST TOMBÉ DANS MON POTAGE !
DONNE !

"LES IRRÉDUCTIBLES GAULOIS N'ONT PLUS ET NE PEUVENT PLUS FAIRE DE POTION MAGIQUE. MAINTENANT, PLUS RIEN NE PEUT EMPÊCHER TES LÉGIONS D'OCCUPER TOUTE LA GAULE. ZÉROZÉROSIX"

VITE ! FAIS DONNER L'ORDRE D'ENVAHIR ET D'ÉCRASER LE VILLAGE DES IRRÉDUCTIBLES !

LE VOYAGE DU RETOUR SE POURSUIT AGRÉABLEMENT ET DANS UNE CERTAINE ROUTINE.
NAVIRE PIRATE DROIT DEVANT, MONSIEUR L'ORGANISATEUR DU CONCOURS !
VOILÀ NOS CLIENTS !

GALÈ'E 'OMAINE A T'IBO'D !
NE CHERCHONS PAS LA BAGARRE AVEC LES ROMAINS ! NOUS SOMMES NEUTRES, C'EST BIEN CONNU !

MAIS C'EST EUX QUI CHE'CHENT LA BAGA''E ET ILS NOUS POU'SUIVENT !
?!

PEU APRÈS...
QUATRE MILLE SESTERCES ! LE COMPTE Y EST !
MAIS C'EST DEUX FOIS PLUS CHER QUE LA DERNIÈRE FOIS !
EH OUI ! L'INFLATION, TOUJOURS L'INFLATION !

ÇA VOUS DIRAIT DE VOUS ASSOCIER AVEC MOI ?
NIGRO NOTANDA LAPILLO !
AU LIEU DE M'AGACER, AIDEZ-MOI À TROUVER UNE SOLUTION POUR REVENDRE TOUT ÇA À UN BON PRIX !
C'EST T'ÈS SIMPLE ! IL NE 'ESTE PLUS QU'À FAI'E DU PO'T À PO'T !
41 A

MALGRÉ TOUTES TES PERFIDIES, NOUS APPORTERONS DE L'HUILE DE ROCHE EN GAULE, ZÉROZÉROSIX !!

?!
C'EST PAS SÛR !

NON, OBÉLIX ! NOOONN !!

PRRRFFFFFFF!
BONG!
OUAH! OUAH!

ET C'EST LA PREMIÈRE POLLUTION DE NAPHTE NÉFASTE DANS LA MER D'IROISE.
AH NON ! VOUS N'ALLEZ PAS DÉJÀ COMMENCER ?!
41 B

C'EST FICHU !!!
PAF! PAF! PAF! PAF! PAF! PAF!

L'ARMORIQUE EST EN VUE, MONSIEUR LE DISTRIBUTEUR DES PRIX!
NOUS SOMMES FICHUS!

AU REVOIR! JE PROMETS DE RAPPORTER DE L'HUILE DE ROCHE À MON PROCHAIN VOYAGE, ASTÉRIX!
TOUT EST FICHU!

AU VILLAGE, TOUS NOUS ATTENDENT DANS L'ANGOISSE ET LA CRAINTE DES ROMAINS! QU'EST-CE QUE JE VAIS LEUR DIRE, MOI, MAINTENANT ?!
42A

?
ILS DÉTALENT COMME DES LAPINS!
C'EST DOMMAGE! ON S'AMUSAIT BIEN!
LA RETRAITE POUR UN LÉGIONNAIRE, C'EST À QUEL ÂGE, DÉJÀ ?!
42B

MAIS... ILS SE BATTENT!!!... ET SANS POTION!!
ET SANS NOUS ET C'EST PAS JUSTE!

PANORAMIX, QUE SE PASSE-T-IL ? QUEL EST CE MIRACLE ?
OH, ASTÉRIX! ALORS, CE VOYAGE?

HÉLAS! JE N'AI PAS RÉUSSI À RAPPORTER DE L'HUILE DE ROCHE!
DE L'HUILE DE QUOI ?

BEN... DE L'HUILE DE ROCHE! CELLE QUI DOIT ABSOLUMENT FAIRE PARTIE DES INGRÉDIENTS DE LA POTION MAGIQUE!
AH, OUI! LA PETRA OLEUM!

ÇA N'A AUCUNE IMPORTANCE! APRÈS QUELQUES EXPÉRIENCES, J'AI PU HEUREUSEMENT LA REMPLACER PAR DU JUS DE BETTERAVE. C'EST TOUT AUSSI EFFICACE ET ÇA DONNE UN MEILLEUR GOÛT!

BONG!

?
43A

C'EST UNE ATTAQUE! JE CONNAIS ÇA MON BEAU-FRÈRE A EU LA MÊ...
TU VEUX UNE BAFFE?
ALLONS, ÉCARTEZ-VOUS! JE VAIS LE SOIGNER

C'EST VRAI QUE TA NOUVELLE POTION MAGIQUE A BIEN MEILLEUR GOÛT, MAIS LA PROCHAINE FOIS, FAIS TES EXPÉRIENCES AVANT DE NOUS ENVOYER AU BOUT DU MONDE, PANORAMIX!
C'EST PROMIS, ASTÉRIX!

DIS, ASTÉRIX, QU'EST-CE QU'ON FAIT DE CES DEUX-LÀ ?
AVEC TOUTES CES ÉMOTIONS J'ALLAIS LES OUBLIER!

EST-CE QUE LE CHAR DE ZÉROZÉROSIX EST ENCORE ICI ?
NE M'EN PARLEZ PAS! J'AI VOULU M'EN SERVIR ET IL S'EST TRANFORMÉ EN MALLE! JE SUIS RESTÉ COINCÉ À L'INTÉRIEUR PENDANT TROIS JOURS AVANT QU'ON PUISSE M'EN SORTIR!

C'EST TOUT À FAIT CE QU'IL ME FAUT!
43B

PLUS TARD, À ROME...
AVE CÉSAR ! ON VIENT DE LIVRER CETTE MALLE-CADEAU POUR TOI !
OUVREZ-LA !

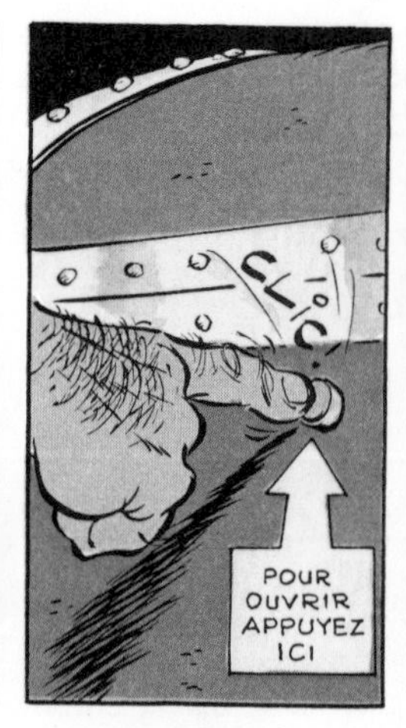
CLIC
POUR OUVRIR APPUYEZ ICI

CLING !
CLANG !
LE VILLAGE GAULOIS
avec ses Compliments

CE POT DE MIEL ET CE PINCEAU, C'EST POUR QUOI FAIRE ?
MIEL

BZZZZZZZZZ
CE SONT LES ACCESSOIRES D'UN NOUVEAU JEU DU CIRQUE INVENTÉ PAR CÉSAR !
BZZZZZZZ
MIEL

LOIN DE CES JEUX CRUELS ET BARBARES, ET SOUS UN CIEL SEREIN, LES IRRÉDUCTIBLES DU VILLAGE GAULOIS S'ADONNENT À DES PLAISIRS PLUS SAINS. ILS N'ONT PAS DE PETRA OLEUM, MAIS ILS ONT TOUJOURS DES IDÉES POUR CÉLÉBRER LE RETOUR DE LEURS HÉROS.
TU N'AS JAMAIS EU L'IDÉE DE FAIRE DES SANGLIERS FARCIS ?
?
ALLEZ, ASTÉRIX ! RACONTE-NOUS UN PEU TON ODYSSÉE !
EH BIEN VOILÀ : TOUT A COMMENCÉ DANS LE CALME DE LA PROFONDE FORÊT GAULOISE, OÙ TOUT SEMBLAIT INDIQUER QU'IL ÉTAIT L'HEURE DE SE METTRE À TABLE...
SCRONTCH !
LES VACANCES SONT FINIES !
FIN DE L'ÉPISODE
-UDERZO-
8-81

TCHAC!

ILS SONT FOUS
CES ROMAINS!